A GRANDE IMAGERIE

0041169

LES FLEUVES

POUR LES FAIRE CONNAITRE AUX ENFANTS

Conception
Émilie BEAUMONT

Texte
Agnès VANDEWIÈLE

Images
Jacques DAYAN

EDITIONS FLEURUS

ÉDITIONS FLEURUS, 15-27, rue Moussorgski 75018 PARIS

LE FLEUVE

Les eaux courantes qui circulent à la surface de la terre forment rivières et fleuves. À la source, un mince filet d'eau, alimenté par les pluies, la neige et d'autres sources, se transforme en ruisseau puis en torrent. Ruisseaux et torrents, suivant la pente du terrain, se rassemblent en rivières et plusieurs rivières, en se rejoignant, forment un fleuve puissant qui s'écoule vers la mer. Ainsi, l'Amazone n'est à sa source dans les Andes qu'un mince ruisseau. Enrichi par plus de mille affluents, il forme avec eux un immense bassin fluvial. Au terme d'un voyage de plus de 6 500 km, il déverse d'énormes volumes d'eau dans l'Atlantique.

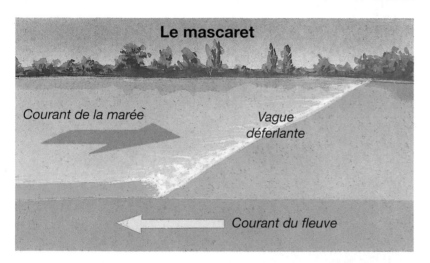

Le mascaret

Courant de la marée

Vague déferlante

Courant du fleuve

Le phénomène du mascaret

Il arrive dans les estuaires qu'un contre-courant marin rencontre le courant du fleuve. Le choc de leur rencontre crée une vague déferlante appelée mascaret. On observe parfois ce spectaculaire phénomène à l'embouchure de l'Amazone, où il produit un énorme grondement que les Indiens appellent «pororoca», ce qui signifie «grand ronflement». Il est d'une telle violence qu'il peut déraciner des arbres sur les rives.

Un très long voyage
Le voyage du fleuve commence souvent en altitude. Il naît des glaciers de montagne ou des eaux de pluie et de fonte des neiges, qui s'infiltrent dans les roches et rejaillissent en source. C'est **le cours supérieur.**

Canal

Affluent

Port

Embouchure en estuaire

Le confluent est le point de rencontre entre deux ou plusieurs cours d'eau.

L'affluent est un cours d'eau qui se jette dans un autre.

Au pied des monts et des collines, l'eau s'écoule plus lentement. Ruisseaux et torrents, grossis par des affluents, deviennent des rivières : c'est **le cours moyen**. Dans les plaines, les rivières se regroupent et forment un fleuve. Ce dernier s'élargit à mesure qu'il se dirige vers la mer et forme des courbes appelées méandres : c'est **le cours inférieur.**

L'embouchure du fleuve est sa partie terminale, l'endroit où il se jette dans la mer. Quand les sédiments qu'il charrie sont évacués par les courants de la marée, il forme un **estuaire.** Quand il doit se frayer un passage entre les sédiments qu'il a lui-même déposés, il se divise en plusieurs bras et dessine un **delta** en forme de triangle.

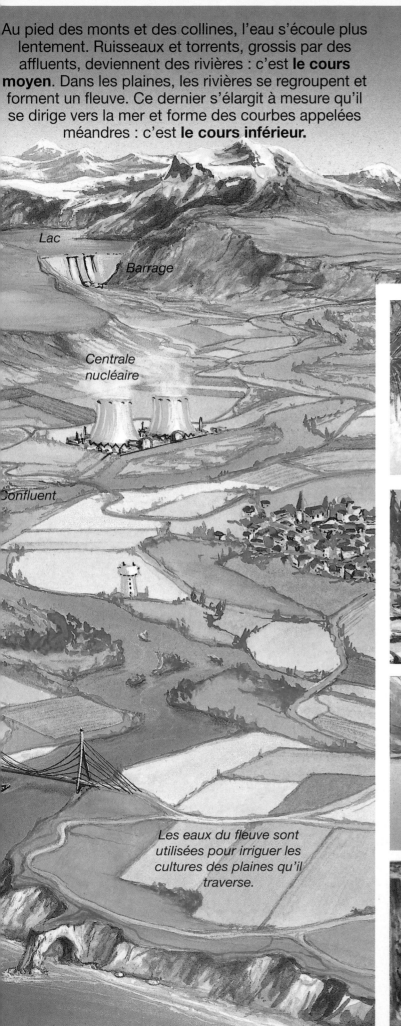

Lac

Barrage

Centrale nucléaire

Confluent

Chute

Les eaux du fleuve sont utilisées pour irriguer les cultures des plaines qu'il traverse.

Les sources

Une partie des eaux de pluie s'infiltre dans le sol et alimente des nappes souterraines qui refont surface en sources jaillissantes. Ces sources deviennent des ruisseaux. En montagne, ces ruisseaux se transforment en torrents.

Les torrents

En montagne, ils sont grossis par la fonte des neiges, les glaciers et les eaux de ruissellement. Leur eau froide et limpide dévale la pente avec force et se dirige vers la vallée en cascades souvent spectaculaires.

Les lacs

Ils occupent des cuvettes creusées par des glaciers. Ces lacs sont grossis par les eaux souterraines, les précipitations et les glaciers. Un lac artificiel se forme quand les eaux d'un fleuve sont retenues par un barrage.

Les gorges

Le fleuve modifie le paysage en arrachant et en transportant roches, cailloux et sable. Lorsque le courant ralentit, il les dépose sur ses rives. Le fleuve creuse aussi son lit. Il lui faut des milliers d'années pour former des vallées et des gorges.

7

SUR LES RIVES

Les cours d'eau attirent les hommes sur leurs rives, car l'eau est vitale pour de nombreuses activités : les paysans puisent dans le fleuve l'eau qui irrigue leurs champs, les éleveurs y mènent leurs troupeaux. Pêcheurs, blanchisseurs, lavandières se côtoient le long des berges. Peu à peu, les hommes se sont adaptés aux caprices des fleuves en construisant des villages sur pilotis ou sur des hauteurs pour être à l'abri des crues. Ils ont bâti des maisons de terre avec de l'argile mélangée à l'eau du fleuve et utilisé la végétation aquatique pour fabriquer des embarcations.

Le fleuve, voie de communication

Les fleuves servent de lien et de moyen de communication entre les populations riveraines. En Amazonie, les maisons sur pilotis, au milieu du fleuve, sont des points de ravitaillement où l'on se rend en bateau. Iquitos, port fluvial du Pérou, n'est accessible que par bateau ou par avion. Aucune route n'y conduit. De même, en Afrique, dans le delta du Niger, c'est par le fleuve que l'on va d'un village à l'autre.

Le fleuve, lieu convivial

Au Pérou, des familles habitent des cases sur pilotis et des maisons-bateaux flottent sur l'Amazone. Les femmes africaines se rencontrent au bord du Niger pour laver le linge ou la vaisselle, les enfants s'y baignent ou jouent sur les rives, les nouveau-nés sont, par tradition, lavés dans le fleuve et à chaque famille de pêcheurs est attribuée une zone de pêche.

Un village construit sur pilotis au bord d'un affluent du Mékong reçoit, en période de crue, les eaux de ce grand fleuve.

Les fêtes du fleuve

Dans l'Antiquité, on offrait aux fleuves des présents pour obtenir leurs bienfaits ou les remercier du limon fertile. Certaines de ces pratiques existent encore aujourd'hui. En Thaïlande, par exemple, lors de la fête de Loy Kratong, qui a lieu à la saison des pluies, les habitants rendent hommage aux voies d'eau vitales pour l'agriculture en faisant flotter sur le fleuve de petites embarcations lumineuses en feuilles de bananier. Parfois, ce rituel s'accompagne de concours de lanternes.

Des routes de glace

Les fleuves pris par les glaces peuvent être utilisés comme des routes. Ainsi, dans l'Himalaya, le Zanskar, affluent de l'Indus, est la voie qu'empruntent les Zanskaris pour se rendre à la capitale. En Sibérie, des camions passent sur le fleuve Amour, gelé en profondeur pendant six mois.

Des loisirs sur les fleuves

Aux quatre coins du monde, les fleuves sont des lieux de compétitions et de sports : courses d'aviron sur la Tamise et de traîneaux sur le Yukon, safaris en canoë sur le Zambèze, rafting dans les rapides du Colorado. Durant le carnaval de Québec a lieu la célèbre course de canots à glace sur le Saint-Laurent.

Les marchés flottants

Les fleuves sont des lieux d'échanges. Sur l'Amazone, on vient acheter, dans les marchés flottants, les produits de la jungle. Sur le Zaïre, en Afrique, des riverains dans de petites embarcations accostent les gros bateaux qui suivent le fleuve pour y troquer toutes sortes de marchandises. En Thaïlande, chaque jour, des paysannes sillonnent les canaux des marchés flottants dans leurs barques pour vendre leurs fruits et légumes. Ces barques à fond plat servent à la fois de moyens de transport et d'étals.

UTILISER L'EAU

L'eau des fleuves a de multiples usages : elle sert à irriguer les cultures, à alimenter en eau les villes et industries, qui en consomment de grandes quantités. Aussi construit-on de grands barrages avec des lacs de retenue qui permettent de stocker cette eau pour pouvoir la distribuer à tout moment de l'année selon les besoins. L'eau est également en elle-même une énergie naturelle. Les centrales des barrages transforment sa force en électricité. Cette énergie électrique sert à son tour aux besoins des villes (éclairage, chauffage…) et des industries (pour faire fonctionner machines, télécommunications, systèmes informatiques…).

Les centrales nucléaires

Dans les centrales nucléaires, les turbines sont mues par de la vapeur d'eau. Après usage, cette vapeur doit être refroidie. Il faut pour cela de grandes quantités d'eau. Aussi, beaucoup de centrales sont implantées au bord des fleuves. Une centrale nucléaire peut prélever environ 40 m^3 d'eau par seconde. En fin de circuit, cette eau, dont la température s'est élevée de 10 °C, est rejetée dans le fleuve. Comme elle a été traitée avant utilisation, on surveille ses effets sur la faune et la flore aquatiques. Dans certaines centrales, les eaux tièdes sont récupérées pour alimenter des bassins d'aquaculture ou des serres situés à proximité.

Les barrages

Les barrages peuvent avoir plusieurs missions : irriguer les terres agricoles et produire de l'électricité. L'eau précipitée dans une conduite entraîne des turbines, qui, en tournant, produisent de l'énergie électrique. Les grands barrages forment de vastes lacs de retenue, inondant parfois des vallées entières et des sites archéologiques. Sur le Yang-Tseu-Kiang, en Chine, le barrage des Trois Gorges, actuellement en construction, sera le plus puissant du monde. Pour lui faire place, on a transformé en lac 600 km de vallées, noyant villes, villages et déplaçant plus d'un million d'habitants.

Le barrage d'Itaipu, sur le Parana, en Amérique du Sud, est un des plus puissants du monde. Son usine hydroélectrique, équipée de dix-huit turbines, fournit une puissance considérable : de quoi alimenter en électricité le Paraguay et plusieurs régions du Brésil.

Du fleuve au robinet

L'eau du fleuve est pompée (1), puis acheminée vers une usine de traitement (2). Là, elle est filtrée, débarrassée des feuilles et des déchets. Ensuite, elle subit un traitement chimique pour être désinfectée. L'eau ainsi purifiée est alors stockée dans un château d'eau ou dans de grands bassins (3) et enfin conduite vers les réseaux de distribution (4) jusqu'au robinet du consommateur (5). Une fois utilisées, les eaux dites usées sont collectées dans les égouts (6) et parviennent jusqu'à une station d'épuration (7). Là, elles sont nettoyées et contrôlées avant d'être rejetées dans le fleuve.

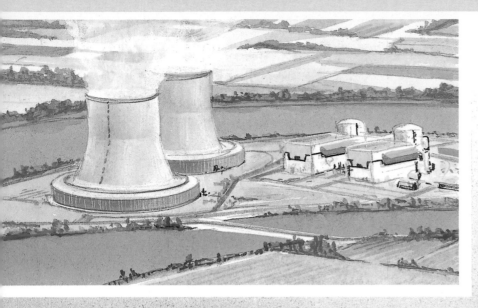

Les industries

De nombreuses industries sont implantées près des fleuves, car l'eau y joue un rôle important : elle sert à nettoyer les installations de fabrication, à refroidir les équipements, à dissoudre des substances comme le sucre ou la pâte à papier. L'eau entre aussi dans la composition de certains produits. D'importantes régions industrielles se sont développées près des fleuves, comme au bord du Rhin, de la Volga et sur les rives du Mississippi, où sont implantées des minoteries, des raffineries de pétrole, des usines d'aluminium, des centrales thermiques, des industries chimiques.

La pollution

L'industrie et l'agriculture contribuent à la pollution des fleuves. Certaines industries rejettent des eaux chargées de substances toxiques. C'est pourquoi les lois obligent les industries à nettoyer les eaux qu'elles ont utilisées avant les déverser dans les fleuves. L'agriculture utilise beaucoup d'engrais. L'eau qui irrigue les champs retourne souvent aux cours d'eau chargée de produits nocifs.

Une partie des engrais répandus dans les champs s'infiltre dans le sol et atteint les nappes phréatiques qui alimentent les fleuves.

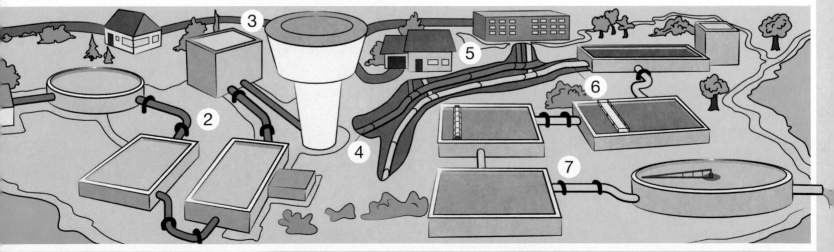

L'IRRIGATION

L'irrigation consiste à diriger l'eau des fleuves vers des terres plus ou moins éloignées pour les cultiver, mais aussi à retenir l'eau pour la répartir tout au long de l'année. Les hommes ont imaginé de nombreuses techniques : canaux de dérivation, brèches dans les berges, puits dans les nappes souterraines et immenses barrages-réservoirs. La région du Pendjab, au Pakistan, traversée par cinq affluents de l'Indus, est une oasis verdoyante grâce à la construction de barrages, tout comme la vallée du Nil, en Égypte, qui est un immense jardin cultivé toute l'année.

Puiser l'eau du Nil en Égypte

Dans l'Antiquité, les Égyptiens ont inventé d'ingénieux systèmes pour pomper l'eau du Nil et l'élever de quelques mètres jusqu'à des canaux qui la conduisaient vers les champs cultivés. Le chadouf est utilisé depuis 3 000 ans. C'est un balancier équipé d'un contre-poids qui permet de remonter facilement les outres d'eau. Il y a aussi la sakieh, inventée au Ier siècle avant J.-C. C'est une roue à godet actionnée par un bœuf ou un âne. Aujourd'hui, ces outils traditionnels sont souvent remplacés par des pompes à moteur Diesel, plus rapides.

La riziculture

Les rizières, près des fleuves, sont fermées par de petites digues dont on ouvre les portes pour inonder les parcelles, puis on laboure le sol devenu boueux. Pendant ce temps, dans des champs séparés, recouverts d'eau, on fait pousser des plants de riz qui sont ensuite repiqués dans la rizière. Quelques mois plus tard, on évacue l'eau de la rizière et on récolte les tiges, dont on recueille les grains.

Irriguer le désert aux États-Unis

Pour cultiver le désert, on a détourné en partie les eaux du fleuve Colorado en créant un vaste réseau de canaux. Le canal du Colorado, long de 387 km, a permis de cultiver l'Imperial Valley, située au sud de la Californie. L'eau du fleuve alimente aussi de grandes villes. C'est pourquoi les agriculteurs et les citadins se la disputent.

Dans le désert californien, le Colorado permet d'irriguer des champs où poussent fruits et légumes, céréales, fourrage pour le bétail et coton.

Les dangers de l'irrigation

Prélever l'eau d'un fleuve en trop grande quantité peut être nuisible aux animaux et aux plantes. C'est le cas en Asie centrale, où les deux fleuves qui alimentaient la mer d'Aral ont été détournés pour irriguer des cultures. L'eau est devenue trop salée pour les poissons, qui sont morts. La mer s'assèche, ainsi que la végétation aquatique, et les bateaux s'échouent sur le sable.

Plant de riz

Depuis des millénaires, l'Inde et la Chine maîtrisent les techniques d'irrigation des fleuves et pratiquent la riziculture inondée. Ils sont les premiers producteurs de riz au monde.

LA NAVIGATION

Les fleuves sont d'importantes voies de communication. Pour faciliter échanges et commerce, on a construit des ports fluviaux et des canaux qui relient entre elles les grandes voies navigables. En Europe, grâce au canal Rhin-Main-Danube, les bateaux de mer adaptés à la navigation fluviale transportent toutes sortes de marchandises de la mer du Nord à la mer Noire. Sur le Saint-Laurent, au Canada, un système de canaux en amont de Montréal permet aux navires transatlantiques de pénétrer aux États-Unis jusqu'aux Grands Lacs, à près de 4 000 km de l'océan.

Les ports

Beaucoup de ports se sont développés dans des régions agricoles ou industrielles, car, sur les fleuves, les bateaux transportent facilement matières premières, produits agricoles ou manufacturés. Aujourd'hui, les grands ports fluviaux sont au centre d'un réseau de communication et deviennent des plaques tournantes où aboutissent fleuves, canaux, routes, voies de chemin de fer et liaisons aériennes. On peut y transborder des marchandises entre bateaux, camions et wagons : c'est le transport combiné. Le transport fluvial joue toujours un rôle important : un convoi fluvial de 4 400 tonnes transporte l'équivalent de 220 camions ou 110 wagons, en étant bien plus économique, car il consomme beaucoup moins de carburant.

Duisburg est le plus grand port fluvial du monde. Il est situé au cœur d'une des plus grandes régions industrielles d'Allemagne, la Ruhr, centre de la sidérurgie. L'eau du Rhin sert autant à l'industrie qu'au transport fluvial. Une péniche met environ 6 jours pour aller de Duisburg à Vienne en empruntant le canal Rhin-Main-Danube.

On trouve près des quais des hangars, des silos à grain, d'énormes grues qui transbordent des conteneurs géants. Des navires chargés de pétrole, de produits chimiques s'amarrent le long des quais pour décharger leur cargaison.

Les brise-glace

Pour rendre navigables les fleuves gelés une partie de l'année, on ouvre la voie avec des brise-glace, qui sont des navires équipés d'une coque renforcée. De ce fait, les ports fluviaux sont accessibles toute l'année. Autrefois, par exemple, le port de Montréal, au Canada, estait fermé tout l'hiver.

Le tourisme fluvial est en plein essor : des vacanciers suivent canaux et fleuves en pénichette et des bateaux de croisière sillonnent les fleuves d'Europe comme la Volga, le Rhin et le Danube. Les croisières sur le Nil sont très réputées et, sur le Mississippi, les steamboats, propulsés par des roues à aube, font revivre l'âge d'or des bateaux à vapeur.

Les embarcations traditionnelles

sont encore utilisées partout dans le monde. En Amazonie, des pirogues taillées dans des troncs embarquent une quinzaine de passagers. Leur voyage dure parfois une semaine pour rejoindre la ville la plus proche. En Afrique, les pirogues qui parcourent le Niger deviennent des lieux d'habitation pendant plusieurs semaines et, sur le Zaïre, les pirogues acheminent familles et marchandises au cœur de la forêt équatoriale.

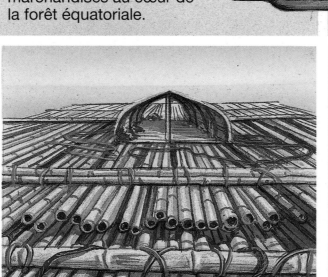

Un voyage en péniche

Un voyage peut durer d'un jour à plusieurs semaines en naviguant à 10 km/h en moyenne. Sur la péniche, les occupations ne manquent pas : laver le bateau, passer les écluses, s'occuper des tâches de la vie courante... En fin de journée, la péniche s'arrête pour la nuit près des écluses.

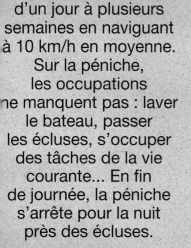

Le flottage du bois se pratiquait sur les fleuves d'Amérique du Nord. Ils étaient utilisés comme moyen de transport des troncs d'arbre. Sur l'Amazone, le flottage est aujourd'hui encore le moyen le plus économique pour acheminer le bois jusqu'aux scieries. En Asie, on fait flotter le bambou sur le Brahmapoutre. Les bateliers campent sur la cargaison de bambou dans des huttes en feuilles de palmier.

Les canaux, creusés pour relier les cours d'eau, permettent de naviguer d'une mer à l'autre. Ils sont jalonnés d'écluses pour franchir les différences de niveau. Sur le canal de la Marne au Rhin, en France, un ascenseur à bateaux remplace 17 écluses. Un bac portant la péniche monte sur un plan incliné et la dépose dans la partie élevée du canal.

LA PÊCHE

Dans certains pays du monde, la pêche en eau douce est encore une ressource essentielle qui fait vivre une partie de la population. On y reproduit les gestes des méthodes ancestrales en employant d'anciens outils : des nasses, des calebasses, des harpons... On pêche dans les endroits où les poissons se regroupent pour se reproduire. Dans les pays occidentaux, la pêche est devenue un loisir. Les périodes de pêche, le nombre et la taille des prises sont réglementés afin de préserver les espèces. Pour la même raison, on développe les élevages de truites, carpes et saumons.

Des cormorans pêcheurs

En Chine, quelques pêcheurs utilisent encore une technique très ancienne : celle des cormorans dressés. Ces oiseaux sont attachés à l'embarcation par un filin et ont une boucle autour du cou qui les empêche d'avaler leurs proies. Ils plongent et rapportent dans leur jabot des poissons que le pêcheur récupère.

La pêche de loisir

Les pêcheurs utilisent différentes techniques selon les poissons recherchés. La pêche à la ligne avec un flotteur est la plus répandue. Elle permet d'attraper des carpes, des gardons et des brochets.

Sur le Brahmapoutre

De nombreuses barques de pêche sillonnent le Brahmapoutre. En Inde et au Bangladesh, la pêche fait vivre de vastes populations.

La pêche à la mouche se pratique dans les cours d'eau et les lacs. C'est une technique très difficile. Une mouche artificielle est montée sur l'hameçon en bout de ligne pour tromper les saumons et les truites.

Dans le delta de l'Okavango

Le fleuve Okavango, dans le sud de l'Afrique, se perd dans un immense delta à l'intérieur des terres. On y pratique la pêche collective : tandis que des femmes disposent de grandes nasses en demi-cercle, d'autres, avec des enfants, rabattent le poisson. Cette pêche a lieu quand il fait beau, lorsque les crocodiles sortent du fleuve.

Festival de pêche au Nigeria

Au nord-ouest du pays, les Nigérians participent chaque année, pendant la saison sèche, à une grande journée de pêche. Dans un affluent peu profond du Niger, des milliers de pêcheurs équipés de calebasses et de filets traquent les poissons concentrés dans les trous de la rivière. Les calebasses servent de flotteurs et de récipients pour contenir les prises.

La pêche au poisson géant

Sur l'Amazone, en Amérique du Sud, les pêcheurs, dans leur pirogue, guettent le pirarucu. Dès qu'il remonte à la surface pour respirer, on le harponne avec une flèche, puis on le hisse à bord de la pirogue.

On pêche au lancer, avec une canne munie d'un moulinet, des poissons carnassiers (perches, brochets). Dans l'eau, les leurres artificiels (cuillers, poissons-nageurs) s'animent comme de vraies proies sous leurs yeux.

Ce pirarucu est un poisson d'eau douce, rouge, or et brun. C'est un monstre qui peut peser jusqu'à 100 kg et mesurer 4,50 m. Le poisson est une nourriture essentielle pour les habitants de l'Amazonie.

17

LES CRUES

Beaucoup de fleuves, gonflés par la fonte des neiges ou de fortes pluies, sortent de leur lit à certains moments de l'année : ce sont les crues. Attendues par les agriculteurs, elles fertilisent les terres en déposant du limon. À la décrue, les troupeaux viennent paître dans les plaines enrichies d'alluvions. Mais les crues ont aussi des effets néfastes : elles amènent reptiles et insectes au seuil des maisons et peuvent être redoutables. Elles sont parfois si violentes qu'elles emportent tout sur leur passage. Pour contenir les crues, on construit des digues et des barrages.

Les grandes crues dans le monde

Aux États-Unis, la crue du Mississippi en 1927 submergea plus de 60 000 km^2 et fit près de 200 victimes.
En Chine, la crue du fleuve Jaune en 1931 provoqua la mort d'un million de personnes.
Au Bangladesh, le Gange et le Brahmapoutre ont, en 1988, submergé les deux tiers du pays.
En France, en 1910, le niveau de la Seine monta de 8 m, inondant Paris et sa banlieue.

En Asie, chaque été, le Gange et le Brahmapoutre sortent de leur lit et provoquent des inondations en Inde et au Bangladesh. Les habitants, bien qu'habitués à ces crues annuelles, sont parfois surpris par leur extrême violence. Elles inondent les rues, noient les villages, détruisent des routes, emportent voies ferrées, digues Et ponts, et coupent les lignes téléphoniques.

Les forêts inondées

Lors des crues, certains fleuves recouvrent des hectares de forêts. Leurs flots puissants emportent animaux surpris, terres et branches, mais en échange ils laissent, quand ils se retirent, de riches alluvions.. C'est pourquoi oiseaux et poissons viennent s'y reproduire.

Dans le delta du Danube, les fleurs fleurissent deux fois dans l'année grâce aux alluvions déposées par le fleuve.

Des maisons sur pilotis

Les gens qui habitent sur les rives d'un fleuve s'adaptent à ses crues régulières plutôt que d'abandonner les terres fertilisées par le limon. Ils construisent des maisons sur pilotis, accessibles par barque pendant la saison des hautes eaux.

Dans le sud du Cambodge, certaines maisons sur pilotis ont un sol amovible fait d'une claie de bambou que l'on monte ou descend en fonction de la hauteur de l'eau.

Digues et barrages

Pour se protéger des inondations, les hommes édifient des digues et des barrages-réservoirs. Ainsi, aux États-Unis, de hautes digues en béton contiennent le Mississippi dans son lit et, au Bangladesh, des monticules de terre peu élevés longent le cours du Gange. Mais les digues ne résistent pas toujours : le fleuve Jaune, en Chine, a brisé plus de 1 700 digues depuis 2 000 ans.

Digues de terre protégeant un village dans le delta du Gange.

Digues et barrages ne doivent pas priver la nature du don du fleuve : le limon. C'est pourquoi, dans le delta du Gange, les digues sont équipées de vannes que l'on ferme seulement quand la crue devient dangereuse. Des efforts sont faits pour préserver les milieux naturels, mais il y a des conséquences imprévisibles. Dans le delta du Nil, par exemple, on mesure aujourd'hui le déséquilibre provoqué par le barrage d'Assouan : le débit du fleuve est désormais trop faible pour contenir la mer, qui abîme petit à petit le delta.

19

DES SITES EXCEPTIONNELS

Certains fleuves ont créé des paysages gigantesques d'une grande beauté. Au fil des siècles, ils ont creusé dans des roches friables de profondes vallées appelées gorges et canyons. Quand ils dévalent des roches en à-pic, ils tombent en importantes chutes d'eau appelées cataractes. Avant d'arriver à la mer, où ils se jettent, les fleuves s'épanouissent parfois en deltas à travers des marais qui abritent une faune et une flore exceptionnelles. On peut admirer ces merveilles naturelles sur tous les continents.

Les chutes d'Iguaçu

En Amérique du Sud, au cœur d'une forêt tropicale, s'élancent les impressionnantes **chutes d'Iguaçu**. Les eaux de ce fleuve, affluent du Parana, franchissent 275 cataractes, d'une hauteur moyenne de 65 m, qui se déploient en arc de cercle sur plusieurs kilomètres. De splendides arcs-en-ciel s'élèvent à travers des nuages de vapeur.

Iguaçu signifie « grandes eaux » dans la langue des Indiens Guaranis.

Chaque seconde, des masses d'eau grondante se déversent dans un fracas assourdissant, au milieu d'une végétation luxuriante peuplée de toucans et de perroquets.

Les chutes les plus hautes

Salto Angel (États-Unis)	979 m
Tugela (Afrique du Sud)	914 m
Utigard (Norvège)	800 m
Mongefossen (Norvège)	774 m
Yosemite (États-Unis)	739 m

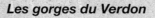

Les gorges du Verdon

Dans le sud de la France, la rivière le Verdon a creusé dans les roches calcaires des gorges spectaculaires dont la profondeur varie de 250 à 700 m. Ses eaux vertes et limpides serpentent à travers gouffres et canyons.

Le Colorado, aux États-Unis

Né dans les montagnes Rocheuses, il érode depuis des millénaires le plateau qu'il traverse, creusant des canyons. Dans le parc national du Grand Canyon, il offre un spectacle grandiose. Il y a façonné un canyon de 350 km de long, de 30 km de large et de plus de 1 700 m de profondeur par endroits. Il découvre des roches vieilles de 2 milliards d'années.

Les bayous de Louisiane

Avant de se jeter dans le golfe du Mexique, le Mississippi se perd dans les marais en multiples bayous (mot indien signifiant « cours d'eau »). Là poussent saules, cyprès chauves et jacinthes d'eau. Les bayous regorgent de crabes et d'alligators. C'est aussi le paradis des oiseaux aquatiques : pélicans, aigrettes, hérons.

La Camargue, en France

Le delta du Rhône, en France, abrite une vaste région d'étangs et de marais où la vie sauvage est d'une exceptionnelle richesse.
Sur le Vaccarès, le plus grand de ces étangs, se rassemblent foulques, grèbes et canards plongeurs.

Les flamants roses font leur nid dans des étangs d'eau douce et cherchent mollusques et crustacés dans les étangs salés. On trouve en Camargue plus de 300 espèces d'oiseaux. Dans les terres basses et salées, appelées les sansouires, paissent chevaux et taureaux sous l'œil des gardians.

FAUNE ET FLORE

Les eaux des fleuves contiennent des éléments très favorables au développement d'une grande variété d'animaux et de végétaux : de l'oxygène et de la nourriture. La vitesse du courant, la température de l'eau et la composition des fonds déterminent la nature des espèces qui y vivent. Des mammifères marins et des poissons empruntent les fleuves durant leurs migrations. Des oiseaux les survolent pour y trouver de la nourriture. Leurs rives abritent de nombreux animaux.

Pour fuir le danger, le cabiai se cache dans l'eau, ne laissant sortir que ses narines. Il plonge et nage très bien grâce à ses pattes palmées.

Tigre

Les plantes aquatiques

Elles s'épanouissent dans les forêts inondées par les fleuves ou dans les eaux calmes des deltas. L'iris jaune pousse en touffes dans les marais et fleurit en été. Les nénuphars ne laissent voir que leurs grandes feuilles et leurs jolies fleurs. Les jacinthes d'eau prolifèrent dans les eaux tranquilles, jusqu'à étouffer animaux et végétaux. Les fleuves d'Afrique sont parsemés de roseaux, de lotus et de papyrus.

Les reptiles

Ils sont nombreux dans les fleuves. Alligators et tortues d'eau vivent dans le Mississippi, caïmans et anacondas dans l'Amazone.

Les mammifères

Beaucoup vivent à la fois dans l'eau et sur les rives du fleuve. Certains se nourrissent d'animaux terrestres et aquatiques. C'est le cas du tigre, qui parcourt de grandes distances à la nage pour attraper ses proies dans les forêts de palétuviers du delta du Gange. Au bord de l'Amazone et de l'Orénoque, en Amérique du Sud, vit le plus gros rongeur du monde : le cabiai. Le lamantin est un mammifère marin qui se plaît dans les embouchures de fleuves où se mêlent eau douce et eau salée.

Les oiseaux

Certains oiseaux dépendent des fleuves pour trouver leur alimentation, comme le héron et le martin-pêcheur.

1

2

Les castors bâtissent leurs huttes sur l'eau et ciment les bûches avec le limon du fleuve.

En été, dans les torrents, l'ours brun pêche avec agilité les saumons qui remontent le fleuve.

Saumons

Le héron est un échassier qui se nourrit de poissons et de grenouilles.

La truite préfère les eaux oxygénées des tourbillons et des cascades.

Truite

Les poissons

Les poissons migrateurs, comme la truite, le saumon et l'esturgeon, vivent dans la mer et remontent le cours des fleuves, à l'âge adulte, pour y pondre des œufs. On récupère les œufs des esturgeons, venus pondre dans le delta de la Volga afin de préparer le caviar. Ces poissons migrateurs remontent le courant et, pour faciliter leur voyage, on installe des échelles à poissons (bacs disposés en escaliers) sur les barrages. Les anguilles font le voyage inverse : adultes, elles descendent les fleuves et retournent dans leur lointain lieu de naissance, au nord des Antilles. Les poissons carnivores, comme le brochet et le piranha, sont des chasseurs redoutables. Certains poissons ont besoin de beaucoup d'oxygène ; d'autres, comme le silure, vivent cachés dans la vase.

Brochet

Anguille

Le piranha mesure à peine 60 cm mais il est vorace, surtout en banc.

Esturgeon

Dès qu'il aperçoit un poisson, le martin-pêcheur plonge en piqué et remonte avec sa proie.

Lamantin

Silure

Des fleurs du fleuve

1. Nénuphar
2. Lis des marais
3. Jacinthe d'eau
4. Lotus

3

4

23

LES CIVILISATIONS

De brillantes civilisations sont nées dans les bassins de grands fleuves, là où les populations pouvaient pratiquer la pêche, l'élevage et l'agriculture sur les terres fertilisées par le limon et irriguées par les eaux du fleuve. Dans les vallées du Tigre et de l'Euphrate, de l'Indus et du Nil se sont épanouies des cultures très évoluées. La civilisation chinoise, née sur les rives du fleuve Jaune, est à l'origine de nombreuses inventions : papier, boussole et poudre à canon. La vie près des fleuves a fait naître des techniques d'irrigation, des arts et des sciences, l'écriture, l'architecture, le commerce.

Tout au long de la vallée du Nil se dressent les somptueux monuments bâtis par les pharaons : pyramides de Gizeh, tombeaux de vallée des Rois, temples immenses. Des joyaux d'architecture qui font de cette vallée le plus grand musée du monde.

L'invention de l'écriture

Les fleuves étaient parcourus par des barques, des embarcations de roseau ou des jonques de bambou, toutes sortes de bateaux qui permettaient la pêche et les échanges. Pour mieux organiser ce commerce, des peuples ont mis au point des systèmes de comptabilité qui sont les premières formes d'écriture. On a retrouvé, entre les fleuves Tigre et Euphrate, en Asie, des comptes de bétail datant du IVe millénaire avant notre ère. Les Égyptiens ont inventé au IIIe millénaire avant J.-C. leur propre écriture : les hiéroglyphes (ci-contre).

Comptes de bétail mésopotamien

La Mésopotamie, « le pays d'entre les fleuves »

En Asie, les vallées du Tigre et de l'Euphrate délimitent la Mésopotamie, le « croissant fertile », où s'est développé un brillant foyer de civilisation plus de trois mille ans avant J.-C. À Babylone, sur les rives de l'Euphrate, la tour de Babel était un chef-d'œuvre d'architecture, qui devait, par sa haute taille, relier ciel et terre.

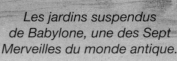

Les jardins suspendus de Babylone, une des Sept Merveilles du monde antique.

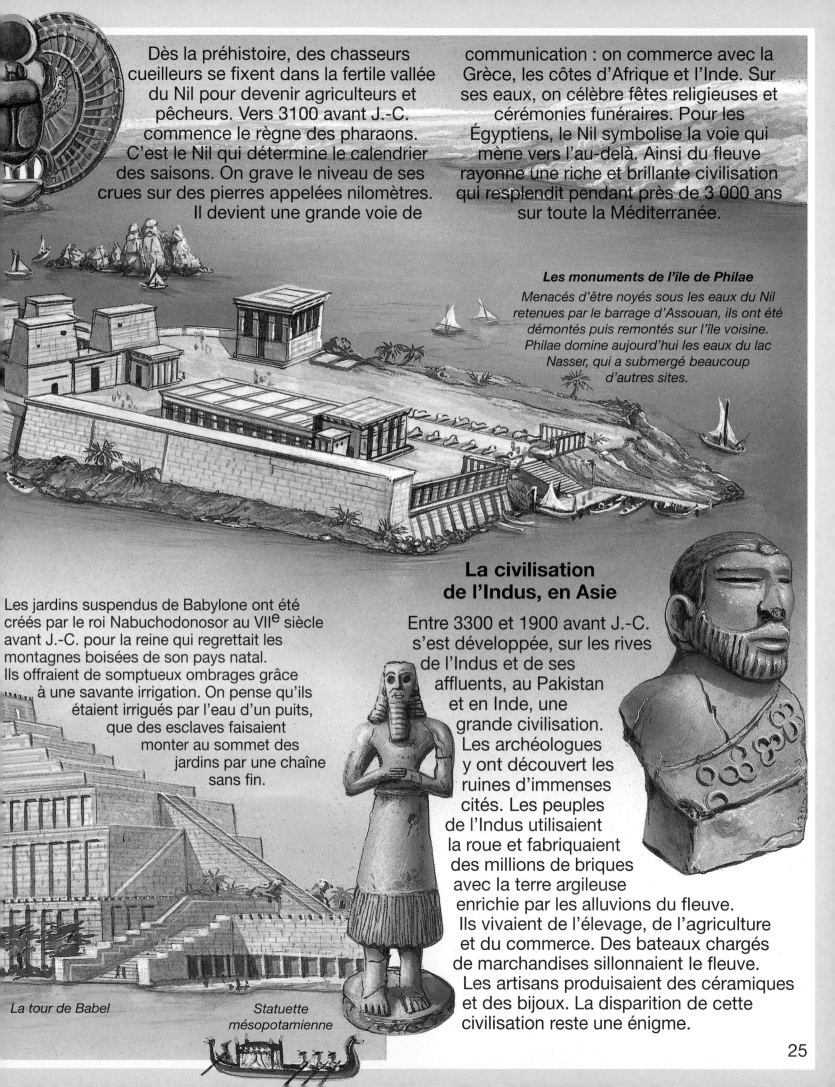

Dès la préhistoire, des chasseurs cueilleurs se fixent dans la fertile vallée du Nil pour devenir agriculteurs et pêcheurs. Vers 3100 avant J.-C. commence le règne des pharaons. C'est le Nil qui détermine le calendrier des saisons. On grave le niveau de ses crues sur des pierres appelées nilomètres. Il devient une grande voie de communication : on commerce avec la Grèce, les côtes d'Afrique et l'Inde. Sur ses eaux, on célèbre fêtes religieuses et cérémonies funéraires. Pour les Égyptiens, le Nil symbolise la voie qui mène vers l'au-delà. Ainsi du fleuve rayonne une riche et brillante civilisation qui resplendit pendant près de 3 000 ans sur toute la Méditerranée.

Les monuments de l'île de Philae

Menacés d'être noyés sous les eaux du Nil retenues par le barrage d'Assouan, ils ont été démontés puis remontés sur l'île voisine. Philae domine aujourd'hui les eaux du lac Nasser, qui a submergé beaucoup d'autres sites.

Les jardins suspendus de Babylone ont été créés par le roi Nabuchodonosor au VIIᵉ siècle avant J.-C. pour la reine qui regrettait les montagnes boisées de son pays natal. Ils offraient de somptueux ombrages grâce à une savante irrigation. On pense qu'ils étaient irrigués par l'eau d'un puits, que des esclaves faisaient monter au sommet des jardins par une chaîne sans fin.

La tour de Babel

Statuette mésopotamienne

La civilisation de l'Indus, en Asie

Entre 3300 et 1900 avant J.-C. s'est développée, sur les rives de l'Indus et de ses affluents, au Pakistan et en Inde, une grande civilisation. Les archéologues y ont découvert les ruines d'immenses cités. Les peuples de l'Indus utilisaient la roue et fabriquaient des millions de briques avec la terre argileuse enrichie par les alluvions du fleuve. Ils vivaient de l'élevage, de l'agriculture et du commerce. Des bateaux chargés de marchandises sillonnaient le fleuve. Les artisans produisaient des céramiques et des bijoux. La disparition de cette civilisation reste une énigme.

LES FLEUVES SACRÉS

Dès les origines, les hommes ont été intrigués par les puissants cours d'eau provenant de sources lointaines longtemps inconnues. Aussi, de nombreux mythes et légendes racontent à leur façon la naissance des fleuves. Et les crues soudaines, violentes et mystérieuses ont souvent été attribuées à la volonté des dieux. Alors, pour s'attirer leurs bienfaits, les hommes ont consacré aux fleuves des offrandes, afin qu'ils fertilisent les terres et donnent des eaux poissonneuses. Aujourd'hui encore, beaucoup de religions considèrent certains grands fleuves comme sacrés.

Les crues du Nil sont symbolisées par le dieu Hâpi tenant un vase d'où l'eau s'écoule. Il est souvent représenté avec des mamelles et un gros ventre, signes de la fertilité et de la prospérité.

Les fleuves sacrés et les religions

Les rives de certains fleuves sont des lieux de prière et abritent parfois comme le long du Mékong, en Asie, des monastères et des grottes sacrées. On s'y rend en pèlerinage ou pour participer à des fêtes religieuses. On s'y baigne pour se purifier, comme dans le Gange, ou pour recevoir des sacrements, comme dans le Jourdain. Ce fleuve du Proche Orient est un lieu sacré du christianisme. C'est dans ses eaux que Jésus a été baptisé par Jean-Baptiste. Aujourd'hui, de nombreux chrétiens se font baptiser au bord du Jourdain. C'est aussi un lieu historique pour les juifs : Moïse est mort près des rives de la mer Morte, où se jette le Jourdain.

Le Nil, un don des dieux

Au temps des pharaons, le Nil était vénéré par les Égyptiens, car ses crues régulières, qui fertilisaient les terres, étaient considérées comme un don divin. Pendant longtemps, elles furent l'occasion de grandes fêtes. On jetait au fleuve des offrandes et des figurines féminines. Sur ses rives ou sur ses eaux avaient lieu de nombreuses cérémonies religieuses. Ainsi, les dieux sur leur barque longeaient ou traversaient le fleuve pour rejoindre un temple ou une nécropole. Les sources du Nil Bleu, en Éthiopie, sont un lieu sacré. Peu de gens peuvent s'en approcher et puiser l'eau miraculeuse, réputée guérir la plupart des maladies. Certains pensent que les eaux du Nil Bleu abritent des esprits puissants et lui font des offrandes de nourriture pour qu'il leur accorde ses bienfaits et irrigue les champs.

Bénarès, au bord du Gange

Après un pieux parcours, les pèlerins s'immergent dans les eaux du fleuve, auquel ils font des offrandes de fleurs. Dans la religion hindoue, le fidèle qui se baigne dans le Gange et boit son eau est lavé de ses péchés. Mourir au bord du fleuve et y faire disperser ses cendres libère l'âme des réincarnations futures et permet l'envol vers la vie éternelle.

Illustration hindoue du XVIIIe siècle représentant la légende de la naissance du Gange.

La naissance du Gange

La déesse Ganga doit descendre du ciel sous forme d'eau pour désaltérer la terre desséchée. Elle se perd alors dans la chevelure du dieu Shiva, qui demeure dans l'Himalaya. Quand elle s'en dégage enfin, elle est apaisée et purifiée par son contact avec Shiva. Ganga dévale les pentes de l'Himalaya et se divise en sept cours d'eau qui partent aux quatre coins de l'Inde. La déesse Ganga est pour les hindous la mère protectrice qui purifie, féconde et nourrit.

À Bénarès, une des villes saintes de l'Inde, des milliers de fidèles viennent se purifier dans les eaux du Gange.

27

TABLE DES MATIÈRES

ISBN 2.215.066.18.0
© Éditions FLEURUS, 2002.
Dépôt légal à la date de parution.
Conforme à la loi N° 49-956 du 16 juillet 1949
sur les publications destinées à la jeunesse.
Imprimé en Italie. (02/02)